NOUVELLES

Histoires drôles

Texte original
Jeanne Olivier

Adaptation thématique
Paul Lacasse

Illustration de la couverture
Philippe Germain

Nouvelles Histoires drôles n° 84
Illustration de la couverture : Philippe Germain
Conception graphique de la couverture :
productions Colorimagique

Dépôts légaux : 1e trimestre 2007
Bibliothèque nationale du Québec
Bibliothèque nationale du Canada

ISBN : 978-2-7625-2768-1
Imprimé au Canada

Les éditions Héritage inc.
300, rue Arran
Saint-Lambert (Québec) J4R 1K5
Téléphone : (514) 875-0327
Télécopieur : (450) 672-5448
Courriel : information@editionsheritage.com

À tous ceux et celles
qui aiment collectionner,
écouter et raconter
des blagues.

BLAGUES COURTES

Première partie

Quel est le plat préféré de Dracula ?

Le croque-monsieur.

•

Qui emmène tous ses clients ailleurs ?

Le chauffeur de taxi !

•

Qu'est-ce qui est blanc, poilu, a quatre pattes et se trouve au Sahara ?

Un ours polaire perdu.

•

Dis donc, Raphael, qu'est-ce que ta mère fait quand elle a mal à la tête ?

Elle m'envoie jouer dehors !

•

Quelle est la meilleure chose à mettre dans une tarte aux fraises ?

Tes dents.

•

Qu'est-ce qu'un vampire doit faire devant le danger ?

Garder son sang-froid.

•

Que dit un fantôme à son ami malade ?

Tu es blanc comme un drap !.

•

Quelle est la différence entre un monstre et un éléphant ?

Le monstre n'a pas de mémoire.

•

Qu'est-ce qui est jaune et tourne en rond ?

Une banane dans une laveuse.

•

Qu'est-ce qui vient à la fin de chaque année ?

La lettre E.

•

Où les policiers vivent-ils ?
Au 911, avenue Urgence.

•

Quelle eau ne peut pas bouillir ?
L'eau bouillante.

•

Pourquoi les pompiers portent-ils des bretelles rouges ?
Pour tenir leurs pantalons.

•

Qu'est-ce qui est mouillé et qui se cache dans un abri ?
Un langue.

•

Comment appelle-t-on un vampire méchant ?
Un sang-coeur.

•

Pourquoi faut-il se pencher pour voir les rabais ?
Parce que ce sont des bas prix.

•

Que dit un squelette qui a mal à la tête ?

J'ai mal au crâne.

•

Qu'est-ce qu'on peut repasser sans fer ?

Nos leçons.

•

Comment appelle-t-on un garçon qui a cent jeux Nintendo chez lui ?

Un menteur !

•

Qu'est-ce que je coupe, que je dépose sur la table et que je ne mange pas ?

Un jeu de cartes.

•

Qu'est-ce qui monte et ne descend jamais ?

Ton âge.

•

Quels sont les trois mots qui contiennent le plus de lettres ?

Bureau de poste.

•

Qu'est-ce qu'on peut retenir sans y toucher ?

Son souffle.

•

– Toto, demande le professeur, sais-tu ce qu'est un volcan ?

– Euh ... une montagne qui a le hoquet ?

•

Que fait une tortue sur une autoroute ?

Elle fait environ un kilomètre à l'heure.

•

Quelles sont les notes préférées des concierges ?

Si-fa-si-la-si-ré (si facile à cirer).

•

Quel est le passe-temps préféré des abeilles ?

Jouer aux dards.

•

Que doit-on faire pour aider un cannibale affamé ?

Lui donner la main.

•

C'est quoi la différence entre un épicier et un libraire ?

Un compte par kilos, l'autre par livres.

•

– Simon, tu dis que tu t'es battu pour défendre un petit garçon, mais qui était ce petit garçon ?

– Moi.

•

Qu'est-ce qui est pire qu'une girafe qui a mal à la gorge ?

Un mille-pattes qui a mal aux pieds !

•

Quel est le signe astrologique de la vache ?

Taureau.

•

Une agent de police arrête un automobiliste.

– Monsieur, vous venez de passer sur un feu rouge.

– J'espère que je ne l'ai pas brisé.

•

Le lapin : Viens-tu magasiner avec moi ?

La tortue : Oui, mais ne te presse pas !

•

Qu'est-ce qui prouve que les cuisiniers sont cruels ?

Ils battent les oeufs et fouettent la crème.

•

Qu'est ce que le chien dit au chat ?

Wouf! Wouf! (Quoi d'autre peut-il dire ?)

•

Comment appelle-t-on un éléphant qui est mort ?

Un éléphantôme.

•

Que font les abeilles quand elles sont en amour ?

Bise ! Bise !

•

Quand un électricien va se baigner, qu'est-ce qu'il fait ?

Il suit le courant.

•

Comment appelez-vous un chien qui n'a pas de pattes ?

Vous ne l'appelez pas, vous allez le chercher.

•

Qu'est-ce qu'un mur dit à un autre mur ?

On se rencontre dans un coin ?

•

Que dit une maman grenouille à son petit qui revient à une heure tardive ?

Dis donc, t'es tard ! (têtard)

•

Comment dit-on colporteur en chinois ?

Ding Dong !

•

Comment on appelle un chien qui n'a pas de queue.

Un chien chaud.

•

Que dit le hibou à sa femme au Jour de l'an ?

Je te chouette un bonne année !

•

Qu'est-ce qui est vert et qui monte et descend ?

Un petit pois dans un ascenseur.

•

Deux vers se retrouvent dans une pomme.

Bonjour, je ne savais pas que tu habitais le quartier !

•

Comment appelle-t-on deux squelettes qui se parlent ?

Des os parleurs (des haut-parleurs).

•

Quel est le pain préféré des magiciens ?

La baguette.

•

Quel spectacle les écureuils vont-ils toujours voir à Noël ?

Casse-Noisette.

•

À quel moment les éléphants ont-ils douze pattes ?

Quand ils sont trois.

•

Pourquoi les sorcières se déplacent-elles sur un balai ?

Parce qu'un aspirateur c'est trop lourd.

•

Que se disent deux hommes invisibles qui se rencontrent dans la rue ?

Ça fait longtemps qu'on ne s'était pas vus !

•

Si elle trouve une chose facile à faire, que dit une sorcière à son mari ?

Ce n'est pas sorcier !

•

Que dit-on à un squelette triste ?

Ne fais pas cette mine d'enterrement !

•

Que faut-il faire pour transformer une sorcière en sorcier?

Enlever un « e ».

•

Que faut-il faire si un éléphant éternue?

Il faut se sauver de là au plus vite!

•

Connaissez-vous l'histoire du gars qui est allé prendre une marche?

Il est revenu avec un escalier!

•

Qu'est-ce qui est vivant et n'a qu'un pied?

Une jambe.

•

Au magasin: – J'aimerais avoir un lit de fous.

– Un lit de fous?

– Oui, un lit pas de tête...

•

Qu'est-ce qui a huit jambes, quatre bras et trois têtes ?

Un cheval avec deux cavaliers sur son dos.

•

À quelle question ne peut-on jamais répondre oui ?

Dors-tu ?

•

Maman, maman, Pierrot est en train de manger le journal !

– Ce n'est pas grave, c'est celui d'hier.

•

Où samedi arrive avant vendredi ?

Dans le dictionnaire.

•

Où Dracula garde-t-il ses richesses ?

Dans une banque de sang.

•

Pourquoi allume-t-on les cierges dans l'église ?

Parce qu'ils ne peuvent s'allumer seuls.

•

Qu'est-ce qui a quinze têtes et qui tourne en rond en criant ?

Une équipe de hockey bantam.

•

Où pouvez-vous trouver des perroquets sauvages ?

Ça dépend où vous les avez laissés.

•

Pourquoi le petit renne a le nez rouge ?

Parce qu'il a la grippe !

•

Quel est l'astre qu'on peut manger ?

Un croissant ! (croissant de lune)

•

Qu'est-ce qui se trouve en plein milieu d'un arbre ?

La lettre b.

•

Qu'est-ce qui vole dans le ciel sans moteur ?

Un cerf-volant.

•

Maman ! s'écrie Odile en voyant un porc-épic pour la première fois.

Regarde, un cactus qui marche !

•

– Connais-tu la blague du soleil ?

– Non.

– Elle est juste au-dessus de ta tête !

•

Que se disent deux chiens qui se rencontrent à Tokyo ?

Jappons !

•

Pourquoi le squelette n'a plus de peau ?

Parce que s'il en avait, ce ne serait pas un squelette !

•

Comment s'appelle le plus grand boxeur russe ?

Ydonn Débaf.

•

Quelle est la lettre de l'alphabet la plus mouillée ?

O.

•

Dans la salle d'opération :

– Docteur, dit le patient, je vous ai reconnu, vous pouvez enlever votre masque !

•

Quel est le comble pour une poire ?

Tomber dans les pommes !

•

Pourquoi, au baseball, le lanceur lève toujours une jambe ?

Parce que, s'il levait les deux, il tomberait !

•

Qu'est-ce que les gens peuvent faire mais qu'on ne peut pas voir ?

Du bruit !

•

Quel poisson va au ciel à sa mort ?

L'ange de mer.

•

Comment s'appelle le meilleur concierge hongrois ?

Ipas Lebalè.

•

Comment s'appelle le plus mauvais vendeur russe ?

Ivan Pafor.

•

Que dit l'enveloppe au timbre?

Je te trouve pas mal collant!

•

– Qu'est-ce que tu gardes même quand tu la donnes?

– Je ne sais pas.

– La grippe!

•

Quel est l'animal qui chante le plus haut?

La girafe!

•

Quel est le commencement de l'univers?

La lettre u.

•

Quel est l'arbre le plus frileux?

Le sapin, il garde toujours ses épines!

•

Pourquoi les éléphants ont les yeux rouges ?

Pour pouvoir se cacher dans les champs de fraises !

•

Qu'est-ce qui a 34 jambes, 9 têtes et 2 bras ?

Le père Noël et ses rennes.

•

Connais-tu la blague du poulet ?

Elle est bonne à s'en lécher les doigts !

•

-Mon Dieu qu'il fait noir ce soir !

– Ah tu trouves ? Moi je ne vois rien !

•

Deux copains discutent :

– Étonnes-moi. Dis quelque chose d'intelligent !

•

-Qu'est-ce que tu fais avec toutes ces ampoules brûlées ?

– C'est pour éclairer ma chambre noire.

•

Quelle heure était-il quand l'éléphant est tombé sur la bicyclette ?

Il était l'heure de la réparer !

•

Comment peut-on diviser également cinq pommes entre six personnes ?

En faisant de la compote !

•

Quelle différence y a-t-il entre une gomme et un avion ?

La gomme colle, l'avion décolle !

•

Deux boulettes de viande jouaient à la cachette.

Une dit à l'autre : Où steak haché ?

•

– Comment va le directeur de ta chorale ?

– Ah ! Ne m'en parle pas ! Il a fait un arrêt du choeur !

•

Comment s'appelle la mère de la médecine ?

La mère Curochrome.

•

Qui exerce le métier le plus dangereux ?

Le dentiste de Dracula !

•

À quel moment est-ce le plus économique d'appeler son ami japonais ?

Quand il n'est pas chez lui !

•

Est-il possible de monter en bas ?

Oui, si on enlève nos chaussures !

•

Deux fakirs discutent :

– Je m'en vais tantôt chez l'acupuncteur.

– Ah, chanceux !

•

Qu'est-ce qui est rond, rouge et qui fait bzzz ?

Une cerise électrique !

•

Mon voisin aime tellement la pêche qu'il a marié une femme avec des verres ! (vers)

•

Qu'est-ce qui est bleu, blanc et rouge ?

Un schtroumpf qui saigne du nez !

•

Quelle est la différence entre un lever de soleil et un coucher de soleil ?

Une journée !

•

– Sais-tu ce qui est le plus dur quand on apprend à faire du patin à roues alignées?

– Non.

– L'asphalte!

•

– Qu'est-ce que tu fais avec une règle dans ton lit?

– C'est pour savoir si je dors profondément!

•

– Sais-tu ce qui arrive aux serpents qui boivent trop de bière?

– Non.

– Ils ont la gueule de boa!

•

Qu'est-ce qui est noir, blanc, noir, blanc, noir, blanc, noir?

Un chef d'orchestre qui déboule les escaliers.

•

Qu'est-ce qui est noir, blanc, noir ?
Un biscuit Oréo !

•

Quel est le mois le plus court ?
Le moi de mai : il n'a que trois lettres.

•

Qui peut boire sans jamais avaler ?
Une éponge.

•

Ma voisine est tellement maigre que quand elle boit du jus de tomate, on l'appelle le thermomètre !

•

Qu'est-ce qui est rond, petit et vert ?
Un petit rond vert !

•

– Hum ! Il est bon ton poulet ! Qu'est-ce que tu as mis dedans ?

– Rien, quand je l'ai acheté il était déjà plein !

•

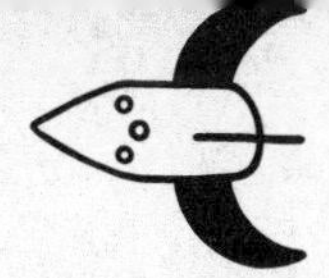

Comment appelle-t-on un stationnement au Mexique ?

Ouéma coxinel.

•

– Si tu avais une pomme, comment l'appellerais-tu ?

– Je la pèlerais avec un couteau !

•

Comment s'appelle le chien qui jappe chaque fois qu'il va faire son petit tour dehors ?

Le chihuahua.

•

Qu'est-ce que le vent ?

De l'air pressé !

•

– Sais-tu pourquoi les abeilles ne piquent jamais les policiers ?

– Non.

– Parce que piquer c'est voler !

•

Je suis un nez qui monte sans bouger.

Un nez-scalier. (escalier)

•

– Qu'est-ce qui est bleu et jamais mouillé quand il va dans l'eau ?

– Un bleuet dans un sous-marin.

•

Quel est le fruit préféré des professeurs d'histoire ?

Les dattes. (dates)

•

Comment appelle-t-on un pou sur la tête d'un chauve ?

Un sans-abri.

•

Quel est l'arbre qui donne le plus de travail aux bûcherons ?

Le bouleau.

•

Qu'est-ce qui est rose et fait bzzzzz ?

Une abeille qui a piqué dans un cochon.

•

Comment peut-on être sûr qu'un fantôme va s'évanouir ?

Quand il est blanc comme un drap.

•

Que dit la grande cheminée à la petite cheminée ?

Tu es trop petite pour fumer !

•

Qu'est-ce qui a deux verres, mais n'a jamais soif ?

Une paire de lunettes !

•

– Pourquoi as-tu fait un trou dans ton parapluie ?

– Parce que je veux savoir quand la pluie va cesser !

•

La prof : Nadia, quelle est la cinquième lettre de l'alphabet ?

Nadia : Euh...

La prof : C'est bien !

•

Quelle est la collation préférée des moutons ?

Les bê-ê-ê-êgnes !

•

Qu'est-ce qui a des dents mais ne mord pas ?

Un peigne !

•

Je ne me sers jamais de mes dents pour manger.

Le peigne.

•

Quelle est la pierre préférée des fantômes ?

La pierre tombale.

•

– Sais-tu ce que c'est une coïncidence ?

– C'est bizarre, j'allais justement te demander la même chose !

•

Qui est l'aumônier des disparus ?

Le père Du.

•

Le juge : La prochaine personne qui parle, je l'expulse de la salle.

L'accusé : Youpi !

•

– Sais-tu ce que dit mon chat quand je lui pile sur la queue ?

– Non, quoi ?

– Rien, mon chat ne parle pas !

•

Qu'est-ce qui a des boutons, mais ne se gratte jamais ?

Une chemise !

•

Comment s'appelle l'aumônier des oiseaux ?

Le père Oquet.

•

Qu'est-ce qu'un bleuet ?

C'est un petit pois qui s'étouffe !

•

Comment appelle-t-on un boomerang qui ne revient pas ?

Un bout de bois !

•

Quel poisson déteste les chiens ?

Le poisson-chat.

•

Quelle est la meilleure chose à faire avant de descendre d'un autobus ?

Il faut y monter !

•

Pourquoi les vaches ne parlent pas ?

Parce qu'elles vivent à « LA FERME » !

•

Comment s'appelle la femme de ménage de Julie Masse ?

Sarah Masse.

•

– Si tu te retrouves à côté de Dracula, d'un squelette et d'un fantôme, qu'est-ce que tu souhaites ?

– Je ne sais pas.

– Tu souhaites que ce soit l'Halloween !

•

Je suis un nez pas très mince.

Un nez-pais.

•

Deux nigauds discutent :

– Vois-tu la forêt là-bas ?

– Non, les arbres me cachent la vue.

•

Je suis un nez que les profs d'éducation physique aiment beaucoup.

Un nez-xercice.

•

Je suis un nez en voyage dans un autre pays.

Un nez-tranger.

•

Je suis un nez qu'on mange avec délice.

Un nez-clair.

•

Qu'est-ce qui monte et qui descend sans jamais bouger ?

Un escalier.

•

Comment s'appelait le premier ballon de l'univers ?

Le ballonosaure.

•

Qu'est-ce que ça fait deux hommes debout sur un banc ?

Ça fait deux hommes de moins sur la terre.

•

Quelle partie de l'auto fait le moins de bruit ?

Le silencieux !

•

Deux citrons discutent :

– Tu es bien jaune !

– Es-tu sûr ?

•

Quelle est la fleur la plus intellectuelle ?

La pensée.

•

Qu'est-ce que ça fait un homme debout sur un banc ?

Ça fait un homme de moins sur la terre !

•

Qu'est-ce que ça fait dix hommes debout sur un banc ?

Ça fait un banc de moins sur la terre !

•

– Sais-tu quel est le fruit préféré des boxeurs ?

– Non.

– Les prunes.

•

Quelle est l'étoile la plus glacée ?

L'étoile polaire.

•

Comment s'appelle le Chinois le plus fort ?

Tau Wing !

•

Qu'est-ce qui a un nombril, deux yeux, deux jambes, mais pas de tête ?

Des ciseaux.

•

Qu'est-ce qui est blanc, pond des œufs et se trouve dans l'espace ?

Une poule cosmique.

•

– Connais-tu l'histoire de la fourmi à moteur ?

– Non.

– Moi non plus, elle est passée trop vite !

•

C'est un nez très utile à l'école.

Un nez-guisoir.

•

Mais maman ! Pourquoi faut-il que je me lave les mains si je mange avec une fourchette et un couteau ?

•

Une petite fourmi rencontre son idole.

– Vous savez, vous êtes fourmidable !

•

Qu'est-ce qui va et vient mais n'a pas de jambes ?

Une porte.

•

– Sais-tu qui possède 500 paires de chaussures ?

– Non.

– Un mille-pattes !

•

Je peux faire pleurer quelqu'un sans même lui adresser la parole.

Un oignon.

•

Qu'est-ce qui est mouillé et qui est toujours caché ?

La langue.

•

Qu'est-ce qui est vert et qui monte et descend ?

Un petit pois dans un ascenseur.

•

Un pauvre dromadaire avait un maître tellement gros qu'il avait une bosse sous le ventre !

•

Qu'est-ce qui est jaune et qui va très vite ?

Une banane de course.

•

Marianne : Qu'est-ce qui peut t'imiter à la perfection ?

Alexis : Je ne sais pas.

Marianne : Ton ombre !

•

Monsieur et madame Thomie vous annoncent la naissance de leur fille Lana.

(L'anatomie)

•

Quel est le comble pour une personne bavarde ?

Aller à la plage et attraper un coup de soleil sur la langue !

•

Je suis un nez qui attire le métal.

Un nez-mant.

•

Quel est le comble de la soif?

Boire les paroles de quelqu'un.

•

Quel est l'animal qui est toujours prêt à dormir?

Le zèbre, il est toujours en pyjama!

•

Où dorment les poissons?

Dans un lit d'eau!

•

Monsieur Thon téléphone à sa copine dame Sardine.

Drrrrrring!

– Allô!

– Non, à l'huile!

•

La prof: Qu'est-ce qu'une personne ignorante?

Denis: Je ne sais pas.

La prof: C'est ça.

•

Comment faut-il s'habiller pour aller à la fête des tigres ?

Avec une armure !

•

Qu'est-ce qui fait le tour de l'arbre mais ne rentre jamais dedans ?

L'écorce.

•

Connais-tu l'histoire de la chaise ?

Elle est pliante !

•

Samuel entre à la pharmacie et demande :

– Avez-vous des lunettes ?

– Pour le soleil ?

– Non, pour moi.

•

J'ai deux branches mais les oiseaux ne viennent jamais s'y poser.

Qui suis-je ?

Une paire de lunettes !

•

Monsieur et madame Golade sont heureux de vous annoncer la naissance de leur fils Larry.

(La rigolade)

•

Quelle est la danse préférée des poules ?

La poulka !

•

Je suis un nez qui fait le tour de la planète.

Un nez-quateur.

•

Quel est l'arbre le plus près de nous ?

Le cyprès.

•

Comment s'appelle l'Allemande la plus légère ?

Éva Senvoler.

•

Le prof : Combien ça fait 1-1 ?

Rachid : Ça fait H !

•

Que dit un bourdon qui rencontre sa fiancée l'abeille ?

Alors, on se fait la bizzz ?

•

– Qu'est-ce qui te donne le plus de problèmes à l'école ?

– Moi ? Ce sont les mathématiques !

•

– Quel est l'animal qui s'attache le plus aux humains ?

– Euh... le chien ?

– Non, la sangsue !

•

Si tu tiens trois oranges dans une main et six dans l'autre, qu'est-ce que tu as ?

De très grandes mains !

•

Quelle est l'amie qui nous donne mal à la tête ?

La migraine !

•

Que trouve-t-on au mois de février mais pas dans les autres mois ?

La lettre f.

•

– Sais-tu ce qui fait 999 fois tic et une fois toc ?

– Non, quoi ?

– Un mille-pattes avec une patte dans le plâtre !

•

– Connais-tu l'histoire du lit vertical ?

– Non.

– C'est une histoire à dormir debout !

•

Comment les abeilles se rendent-elles à l'école ?

En autobzzzzzzz !

•

– Sais-tu combien de temps on peut vivre sans cerveau ?

–Non.

– HA non ,quel âge as-tu ?

•

Qu'a fait Christophe Colomb après avoir mis le pied en Amérique ?

Il a mis l'autre !

•

Quel coup ne fait pas mal ?

Un coup de main.

•

Quelle partie du poulet les Italiens préfèrent-ils ?

Les pattes (pâtes) !

•

Pourquoi est-ce que les vaches ne courent pas vite ?

Parce qu'elles donneraient alors de la crème fouettée.

•

Qu'est-ce qui se tient sur le dos, mille pieds dans les airs ?

Un mille-pattes mort.

•

Qu'est-ce qui est blanc et qui remonte ?

Un flocon de neige.

•

Quelle est la pâtisserie la plus ridicule ?

La tarte.

•

Qu'est-ce qu'on ne peut pas écraser avec notre pied gauche ?

Notre pied gauche.

•

Un coq dit à une poule :

– Comment vas-tu ?

– Oh ... j'ai l'impression de couver quelque chose !

•

Quelle est la lettre qu'on peut boire ?

La lettre O. (L'eau)

•

Quel est l'animal le plus léger ?

La palourde.

•

Qui a écrit le livre « Comment nourrir les chiens » ?

Monsieur O.S. Amœlle.

•

– Guy, demande le professeur, peux-tu me nommer deux pronoms ?

– Qui, moi ?

– Très bien, Guy.

•

Pourquoi Graham Bell n'aurait pas pu devenir prêtre ?

Parce qu'on l'aurait appelé l'abbé Bell (la bebelle).

•

Comment les vampires naviguent-ils ?

Dans des vaisseaux sanguins.

•

Est-ce qu'un œuf est un légume ou un fruit ?

C'est un chiffre (un neuf) !

•

Combien de sortes de poissons existe-t-il ?

Trois : Les petits, les moyens, les gros.

•

Comment appelle-t-on un chat rayé de noir et de blanc ?

Minou, minou !

•

Quel est l'exploit le plus difficile à réaliser pour un chevalier en armure ?

Se gratter !

•

Jeanne : Maman, je sais pourquoi les robinets font « plouc plouc ».

C'est parce qu'ils ne peuvent pas renifler.

•

Je suis un nez qui dure toute la vie.

Un éternel (un nez-ternel).

•

Quel est le mot le plus sale de la langue française ?

Pollution.

•

Le prof : Eddy, tu as 85 cents en poche, tu en perds 25. Qu'as-tu dans ta poche ?

Eddy : Un trou, monsieur.

•

Qu'est-ce que tu peux mettre dans ta main droite mais pas dans ta main gauche ?

Ton coude gauche.

•

Quel est l'animal le plus heureux ?

Le hibou, car sa femme est chouette !

•

Qui est l'aumônier des blessés ?

Le père Oxide (peroxyde).

•

À quel moment un dompteur refuse-t-il de donner des arachides à son éléphant ?

Quand il se trompe.

•

– Julien, va en bas ramasser tes jouets !

– Mais papa, est-ce que je peux y aller en souliers ?

•

Une gitane dit à son mari :

– Chérie, donne-moi ta main, je voudrais lire un peu avant de m'endormir.

•

Comment appelle-t-on un nez qui mange des noix?

Un nez-cureuil (écureuil).

•

Quelle est la première chose que fait une personne qui tombe à l'eau?

Elle se mouille.

•

Pourquoi les robots ne paniquent-ils jamais?

Parce qu'ils ont des nerfs d'acier.

•

Qu'est-ce qui a deux jambes mais ne peut marcher?

Un pantalon.

•

Deux dindes se rencontrent au début de décembre:

– Et toi, où vas-tu passer les fêtes cette année?

•

Qui peut faire le tour du monde en restant toujours dans son coin ?

Un timbre.

•

Qu'est-ce qui t'appartient et que tout le monde utilise ?

Ton nom.

•

Que dit un parapluie qui croise une canne ?

– Tiens, une nudiste !

•

Savez-vous pourquoi mon chien a le nez plat ?

Parce qu'il court après les autos arrêtées.

•

Qu'est-ce qui est fait de cuivre, de cordes et de bois ?

Un orchestre symphonique.

•

Qu'est-ce que la lettre « é » et une île ont en commun ?

Ils sont tous les deux au milieu de l'océan.

•

Qu'est-ce qui est grand avant d'être petit ?

Une bougie.

•

– Comment trouves-tu ta nouvelle flûte ?

– Je l'ai jetée.

– Mais pourquoi ?

– Oh ! elle était pleine de trous...

•

Quel est le jour de l'année le plus savant ?

Le 7 août (sait tout).

•

Quel chien n'a pas de queue ?

Le hot-dog.

•

À qui faut-il répondre même s'il ne pose pas de question ?

Le téléphone.

•

Quel gâteau est aussi dur qu'une roche ?

Le gâteau marbré.

•

Le petit cannibale rentre à la maison où son père prépare le souper.

– Hum ! ça sent bon ! Qui est-ce ?

•

Qui est l'aumônier des buveurs de café ?

Le père Colateur.

•

– Jonathan, sais-tu ce que j'ai appris aujourd'hui ? Il paraît qu'on descend du singe !

– Ah ! Toi, peut-être, mais pas moi !

•

Jean : Dans ma famille, on a tous le même nez.

Julie : Ah oui ? Chez moi, on a chacun le nôtre.

•

Qu'est-ce qui sort de la maison sans jamais passer par la porte ?

La fumée de la cheminée.

•

Qu'est-ce qui fait « nioc-nioc » ?

Un canard qui vole à reculons !

•

Qui a des plumes mais ni pattes, ni bec, ni tête, ni queue ?

Le plumeau.

•

– Savais-tu que je peux sauter plus haut qu'une maison ?

– Bien sûr, les maisons ne savent pas sauter !

•

Quel est le contraire de Jérémie?
Jérécroûte. (on parle ici de pain)

•

Quel est le jour le plus long de la semaine?

Il n'y en a pas, ils ont tous 24 heures!

•

Quelle différence y a-t-il entre un popsicle et le pôle Nord?

Aucune. Les deux sont glacés.

•

Deux ballons volaient dans le désert. Un ballon dit à l'autre:

– Attention! Un cactusssssssss...!

•

– Maude, veux-tu que je te raconte une blague à l'envers?

– Oui.

– Alors commence par rire!

•

Savez-vous quelle est la différence entre un père et une mère ?

Aucune, les deux ont un enfant.

•

Un clown visite son médecin :

– Docteur, il y a des jours où je me sens tout drôle...

•

Qu'est-ce qui commence par un B, finit par un E et a des milliers de lettres ?

Bureau de poste.

•

Quelle est la différence entre un avion et des amoureux ?

L'avion décolle et les amoureux se collent.

•

Que fais-tu quand un éléphant se couche sur toi ?

Tu ne te relèves plus.

•

Quelle puissance dégage un Q-TIP ?
Deux ouates (watts).

•

Qu'est-ce qu'une chenille ?
Un ver avec un chandail.

•

Quelle est la fleur qui réfléchit le plus ?
La pensée.

•

Un jour, un muet dit à un sourd : Regarde l'aveugle qui nous espionne.

•

Qu'est-ce qui tombe sans se faire mal ?
La nuit.

•

Quand donc une souris pèse-t-elle autant qu'un éléphant ?
Quand la balance est brisée !

•

Qu'est-ce qui se met à se promener après sa mort ?

Une feuille morte.

•

Qu'est-ce qui est pire qu'un crocodile qui a mal aux dents ?

Un mille-pattes qui a mal aux chevilles !

•

– Laurence, est-ce que tes ongles sont polis ?

– Oui, quand je les coupe, ils ne disent rien.

•

Qu'est-ce qui habite un palais et possède une collection de couronnes ?

La langue.

•

Quel est le plus long mot du dictionnaire ?

Élastique, parce que ça s'étire.

•

Que mange un monstre après s'être fait faire un plombage ?

Le dentiste !

•

Quelle est la destination vacances préférée des chats ?

Les îles Canaries.

•

Comment appelles-tu un chat qui n'a pas de pattes ?

Tu ne l'appelles pas, tu vas le chercher.

•

Qu'est-ce qui a neuf lettres mais qui en contient juste une ?

Une enveloppe.

•

Que dit un fantôme quand il est mal pris ?

Oh ! là là, je suis dans de beaux draps.

•

Quel écriteau les fantômes aiment-ils voir ?

Bienvenue aux visiteurs.

•

Je suis un nez qui répète.

Un nez-cho.

•

Quels sont les arbres que les prisonniers détestent le plus ?

Les chênes (chaînes).

•

– Non, il y a aussi les cartes de guichet automatique !

•

Au pôle Nord, on vient de publier un nouveau livre de cuisine :

365 façons d'apprêter un glaçon !

•

Je suis un nez qui n'est pas chez lui.

Un nez-tranger.

•

Qu'est-ce que les Martiens mettent sur leurs rôties au déjeuner ?

Un objet collant non identifié.

•

Comment appelle-t-on un livre qui raconte la vie d'une voiture ?

Une autobiographie.

•

– Qu'est-ce qu'il ne faut jamais dire à un antiquaire ?

– Quoi de neuf ?

•

Le prof : Rémi, veux-tu m'épeler le mot Québec ?

Rémi : Euh ... la ville ou la province ?

•

Deux nigauds discutent :

– Tu crois que la Lune est habitée ?

– Mais oui, tu vois bien qu'il y a de lumière !

•

Je suis un nez qui n'a pas peur du tonnerre.

Un nez-clair. (éclair)

•

– Il n'y a pas que l'argent dans la vie !

Je suis un nez qui sépare la Terre en deux.

Un nez-quateur.

•

Les gens seraient à la rue s'ils me perdaient.

La clé.

•

Que trouve-t-on dans le mois de septembre mais pas dans les autres mois de l'année ?

La lettre p.

•

Je suis un nez qui n'a pas réussi.

Un nez-chec.

•

– Didier, sais-tu ce que ça veut dire I don't know?

– Je ne sais pas.

•

– Alors ta soeur a trouvé un emploi au palais de Buckingham?

– Oui, et elle s'ennuie royalement!

•

Pourquoi achète-t-on des voitures?

Parce qu'on ne peut pas les avoir gratuitement.

•

Comment fait-on pour faire entrer un éléphant dans une cabine téléphonique?

On ouvre la porte.

•

Quel est le comble de la laideur?

C'est quand quelqu'un s'embellit en faisant des grimaces.

•

Où les fantômes aiment-ils se baigner ?

Dans la mer Morte.

•

Le prof : Marc-André, de quel auteur est « Tintin » ?

Marc-André : Euh... Un mètre soixante-cinq ?

•

Je peux sauter même si je n'ai ni jambes ni pieds.

Un ballon.

•

– Ma voisine collectionne les puces.

– Quel étrange loisir ! Et son mari, qu'est-ce qu'il fait ?

– Il se gratte.

•

Je suis un nez jamais positif.

Un nez-gatif.

•

Je suis un nez qui ne pense qu'à lui-même.

Un nez-goïste.

•

Qu'est-ce qu'un réveille-matin ?

C'est un coq domestique.

•

Je suis un nez qui explose.

Un nez-clatement.

•

À quoi servent les pouces ?

À tenir le dessous des sanwiches.

•

Je suis un nez qui s'étire.

Un nez-lastique.

•

Le prof : Jean, comment écris-tu sterno-cléido-mastoïdien ?

Jean : Euh... avec des traits d'union.

•

Je suis un nez qui est toujours bien vêtu.

Un nez-légant.

•

Qui peut pleurer sans verser de larmes ?

Le saule pleureur.

•

Quelle est la date du Festival des véhicules tout terrain 4 x 4 ?

Le 4 août (quatre roues).

•

Je suis un nez qui n'est pas calme du tout.

Un nez-nervé.

•

Comment peut-on reconnaître un canard aveugle ?

Voyons ! Il se promène toujours avec sa cane blanche !

•

Je suis un nez gigantesque.
Un nez-norme.

•

Qu'est-ce qui est plein de trous et qui retient l'eau ?
Une éponge.

•

Je ne sais pas nager mais je franchis la rivière.
Le pont.

•

Je suis un nez terrifiant.
Un nez-pouvantable.

•

Je suis un nez plein de vaisselle.
Un nez-vier.

•

Je suis un nez qui perd l'équilibre.
Un nez-tourdi.

•

Je suis un nez dans un état de fatigue extrême.

Un nez-puisement.

•

Je suis un nez où poussent les nénuphars.

Un nez-tang.

•

Le dentiste : Dis-moi, Geofrroy, de quel côté manges-tu ?

Geoffroy : Du côté de la porte du salon.

•

Je suis un nez qui fait peur aux oiseaux.

Un nez-pouvantail.

•

J'ai quatre pieds mais je ne marche pas. J'ai une tête mais je n'ai pas de voix.

Un lit.

•

Je suis un nez qui exprime la surprise.

Un nez-tonnement.

•

Qu'obtient-on quand on croise un serpent et un porc-épic ?

Du fil barbelé.

•

Que dit le O au Q ?

– Enlève ton doigt de ton nez !

•

Quelle différence y a-t-il entre un crocodile et un alligator ?

Il n'y en a pas. C'est caïman la même chose !

•

Que dit un chat qui a la grippe à la pharmacienne ?

Bonjour, je voudrais un sirop pour ma toux (matou).

•

Monsieur et madame Nana ont eu un fils.

Ils l'ont appelé Judas. (Jus d'ananas)

•

Je suis un nez qui n'est jamais à la noirceur.

Un nez-clairage.

•

Quel est l'animal préféré des informaticiens ?

La puce.

•

– Écris-tu avec ta main gauche ou avec ta main droite ?

– Moi ? J'écris avec un crayon !

•

Quel est le futur du verbe voler ?

La prison !

•

Qui est l'aumônier des coiffeurs ?

Le père Uque.

•

Dans ma ferme, les vaches ont toutes la tête dirigée vers le sud. Où dirige leur queue?

Vers le plancher!

•

Quel est l'animal le plus sourd?

La grenouille.

Elle dit toujours: Quoi? Quoi?

•

Qu'est-ce que se disent deux bateaux quand ils se rencontrent?

À l'eau!

•

Quel est l'ami qu'on ne peut pas supporter?

La migraine.

•

Quel est le pays où on n'a jamais de problème à faire des tartes?

La Grèce (graisse).

•

Qu'est-ce qui est au milieu de l'eau mais ne se noie pas ?

Le « a ».

•

Quand je suis plein, je disparais.

Qui suis-je ?

Un trou.

•

Pourquoi les éléphants ne volent pas ?

Parce qu'ils n'ont pas d'ailes.

•

À quel moment un Japonais dit-il bonjour ?

Quand il a appris le français.

•

Un homme en parfaite santé entre dans la mer Morte. Comment en ressort-il ?

Mouillé.

•

Comment s'appelle l'aumônier des gourmands ?

L'abbé Daine

•

Quelles sont les notes de musique capables de couper du bois ?

La-si (la scie).

•

Quelles sont les lettres les plus agitées ?

A.J.T.

•

Quelles sont les lettres les plus détériorées ?

C.K.C.

•

Quelles sont les lettres les plus disciplinées ?

O.B.I.C.

Autres thèmes dans la collection

BLAGUES À L'ÉCOLE (3 livres)
BLAGUES EN FAMILLE (4 livres)
BLAGUES AU RESTO (1 livre)
BLAGUES AVEC LES AMIS (6 livres)
INTERROGATIVES (4 livres)
DEVINETTES (1 livre)
BLAGUES À PERSONNALISER (3 livres)
BLAGUES COURTES (2 livres)
BLAGUES CLASSIQUES (1 livre)
BLAGUES DE NOUILLES (2 livres)
BLAGUES DE GARS ET DE FILLES (2 livres)

CONCOURS

Presque aussi drôle qu'un Ouistiti!

On te dit que tu es un bouffon,
un(e) petit(e) comique,
un drôle de moineau?
Peut-être as-tu des blagues
à raconter? Envoie-les-nous!
Tu auras peut-être
la chance de les voir publiées!

Fais parvenir ton message
à l'adresse qui suit:
Droledemoineau@editionsheritage.com

À très bientôt...